فورة ألم

فورة ألم

نادين نجم

دار النشر اليسار

© جميع الحقوق محفوظة للكاتبة نادين نجم، 2022
لا يجوز نسخ أو إستعمال أي جزء من هذا الكتاب في أي شكل من الأشكال أو بأي وسيلة من الوسائل - سواء التصويرية أو الإلكترونية او الميكانيكية، بما في ذلك النسخ الفوتوغرافي والتسجيل على أشرطة او سواها وحفظ المعلومات- من دون الحصول على إذن خطّي من الناشر.

طبعة أولى: 2022
طباعة في الولايات المتحدة
الناشر: Elyssar Press
175 Bellevue Ave
Redlands, CA 92373
www.elyssarpress.com

الكاتبة: نادين نجم
الكتاب: فورة ألم
ISBN: 978-9953-0-4821-5
e-ISBN: 979-8-9853686-0-4
تصميم الغلاف: ستيفاني عون بو كرم
تصميم الكتاب: ستيفاني عون بو كرم
مراجعة: فاروق أبو جودة
لوحة الغلاف وكل لوحات الكتاب للرسام إيلي حنّا

Copyright © Nadine Najem, 2022
All rights reserved. This book or any portion thereof may not be reproduced or used in any manner whatsoever without the express written permission of the publisher except for the use of brief quotations in a book review.

First Edition: 2022
Printed in the United States of America
Publisher: Elyssar Press
175 Bellevue Ave
Redlands, CA 92373
www.elyssarpress.com

Author: Nadine Najem
Book Title: Fawret Alam
ISBN: 978-9953-0-4821-5
e-ISBN: 979-8-9853686-0-4
Cover Design: Stephanie Aoun Bou Karam
Book design and production: Stephanie Aoun Bou Karam
Editing: Farouk Abou Jaoude
Cover painting and all paintings by Elie Hanna

إهداء

إلَكْ إنتْ يا اللي صِرت فَوق، تَحِيِّةْ من الأرض لِلْسَما،
وإلَكْ إِنتْ اللي عَ هَالأرض وبَعدْ ما لقِيتْني، تايِه مِدري بأيَ عَمَى.

الفهرس

مقدمة ٩
غَزْل وغَزَلْ ١٠
عنْدي أمل ١٢
فَورة ألم ١٥
أنا ١٨
قَولَكْ ٢٠
هِربان ٢٤
بَيني وبَينَك ٢٦
الهَوا ٢٨
بَاب قَلبي ٣٠
خربشات ٣٢
مَشلَحْها ٣٤
إرسمَكْ ٣٦
ليْل وطَويل ٣٨
بَردات قَلبي ٤٠
طلاع مِنّي بَقى ٤٣
الليلْ ٤٥
وجُوه ٤٧
عَ هَواك ٤٩
فَتّش ٥١
حِيطان المَلَلْ ٥٣
حَكي ٥٥
تَعى بْهَالليلْ ٥٧
دِنيْتي ٥٩
شِبّاك ٦٢
فيكْ وبَلاك ٦٤
جنُونك ٦٦
يا ريح وهَوا ٦٩
فايق عَالبيتْ القَديم؟ ٧١
فِنجَان قَهوتَك ٧٥
رَمْشِة عَينْ ٧٧
تْرِكْنيْ ٧٩
قلّها تَعي ٨١
غيُوم ٨٣
رَمْل البَحِرْ ٨٥
حَاجي بَقى ٨٧
شوَية نَوم ٨٩
غَبْرَه ٩١
ما تِعتِذْرلي ٩٤
الحْصاد ٩٦
شو بتسوى الدِني ٩٨
مِشتَاقهْ ١٠٠
إنتْ ١٠٢
عَ فْراقكْ ١٠٤
ما عَاد في نَوا ١٠٦
تَوبِهْ ١٠٨
صِرت خِتيَاره ١١٠
لو بيحْكي الحَجَر ١١٣
تَعا سوا ١١٦
سيرة ذاتية ١١٩

مقدمة

لمّا كنتْ زغيري وحسّ حالي حزيني، كنت إكتب. لمّا كان بدّي عبّر عن فرحي، كمان كنت إكتب. بعمر المراهقه والوحده صرت إكتب أكتر، كبرت وضلّيت إكتب. فتتْ عَ الجامعة وتخصّصت بالموسيقى بس ضلّيت إكتب. وعملت إختصاص تاني وكمان ما وقّفت إكتب. وكل ما كان بدّي إهرب من حالي او من هالدني، إمسك القلم وجيب الورق وإكتب.

وقد ما كتبت عَ مرّ هالسنين، ضاق خلقن الحروف من الوْراق، والوْراق ضاق المكتب علَيُنْ. وقد ما ضاق خِلقُنْ من بعض صاروا يتخانقوا، قلت حاجي بقى خناق. حبستن بمطبعه تَ يعقلوا شي شْوَيْ، قام الورق حبّ الحرف ودار العشق بينن ليخلق منن طفل من حِبر أسود عَ ورق أبيض، متل غبرة بيروت اللي دابت بتلج الأرز الأبيض.

خِلق بيحكي بلهجة بلادي، تَيعبّر أكتر عن حالتو وحالي. قلت لازم سمّي هالطفل إسم يشبهو، و مشيت عَ خطى كبار من بلادي متل "سعيد عقل" و "موريس عوّاد" اللي كرّموا اللهجة اللبنانية.

سمّيتو " فورة ألم " تَ القلم يخبّر عن كِل ألم...

غَزَلٌ وغَزَلٌ

ما تِسألني من وين عَمْ بِغزُل حَلا
ما الحلا ما بَدّو غَزْل وتطريز،
بَدّو غَزَلْ من شفافَك
يِمرُق يِغزُل عيوني حَرير.
لا تِسألني وين بِتمَرّا
ما مرايتي إنتْ
ومِشط شَعري إيدَيكْ.
تعَى غْزِلني قبل ما تِخلص الشَرنَقا
تعَى غْزِلني قبل ما يجي تشرين،
وإلكْ مِنّي غزلة قلوب
لا إلها مواسم
لا إلها إيام
لا صَيف ولا شِتي
ولا حتى زمانْ.
رَح إغْزْلَك عَ حرير الدَّفا
وحَيّك فيك باقي العُمرْ
شراشف،
كِلّا حُبّ وهَنا.

عندي أمل

- نادين نجم -

عِنْدي أمَلْ إسرُق شَمسات الغياب
ما الغيابْ حِزن وشِبه فْراقْ
إسرق الغيابْ كِل يوم،
وما يِبقى ولا واحد مِنّن.
بِسْرِقُن،
إنت وغِفيان وغِفلان عن شَمس هَالدني.
وتِصحى إنتْ بيَوم النّور،
بِمَطْرَح اللي ما في غياب
بِمَطْرَح ما الشَمس بتِضْوي بِالليل.

عِندي أمَلْ،
لَوِّن الغَيمات بلَون اللي ما إلو لَون
وجَمِّع ريش عصافير السما كِلّا
وأعملها حْرام
غَطّيك فيه،
تَما البَرد يجرّح شفافَك
وتَما يرجْفو إيديك.

عِندي أمَلْ،
إرقُص مع المَوجات
وأخطُف نجمات السَّما،
إخطفا كم لَحْظَه وردّا لْهاك الإيام.

بسّ إنت غافي،
ومِش داري شو تغَيّر بهالزَمان
لا قاشع إن كان في نور أو غياب،
لا حاسِس إنْ غَطَّيتك أو إذا بَعدَك بِردان.

عِنْدي أمَلْ،
تِصْحى وما تشوف غيري أنا قبالك
عِنْدي أمَلْ...
إيه عِندي أمَلْ.

فَورة ألم

بإيدي مْسِكْت القَلَم
تَ إكتب أنا شو حاسّي من ألَمْ.
لا ريشِه وألوان بلَوحَه
لا خيطان صوف بكَنزي مطرّزه،
ولا صوت كل نغمات الوَجع
اللي عَ حفّة جهنّم بتِنْسِمَع
قدرِتْ تعبّر شو في بهالقلب
أكتر من هالقلم.

ورِحتْ إكتب وْراق
وشو كترو الوْراق
طَلّ وشافُنْ قَدموس، قلّي هايِّنْ
طاولِتك ما بقَى تساع
وسفينتي ناقصها شراع.
فلفَش حْروفي وراح يوزّع
تَ الغرب هَونيك صار يعرف يفكّر.
وكل حَرفْ بمْدينِه تْغَلغَل،
لَقصيدي طويلي تحوَّل.

إندَهتْ وقلتلو قدمُوس وَينَك؟
أبجديّتي عَ وْراقي ردّا!

مِن شَختور الفينيق رَدّ الصَدى،
خَلَص! شو توَزّع ما فيكي تردّي
العَطَش قاتِلُن ولازم نِروي.

ما الألَم داب بقَلمْ،
بِالتراب بِاليَمّ نْعَجَنْ
وحِبْر القَلم من الشَرق فاض
وفَار، فَورِة ألمْ.

أنا

أنا رْسَمت حَالي عَ باب الزمنْ
أنا اللـحن اللي ما بيغْفَى، ما بنامْ
أنا اللي تارکِي حَالي طِيرْ مع کُل نَسمي
أنا اللي بقطُف الشوك بَدْل الوردِي
أنا اللي بصحى لمّا القمر يهل
أنا اللي بشرب تَلـجات کانون،
وشَمس آب بطفيا ساعةْ ما بدّي.
انا اللي مسَهّرا عيوني عَ الفاضي،
وناطرا تِتلُج بتَموز
أنا اللي هاويه عَذاب الحُب
ويحبّ اللي مِش سائِل عنّي
أنا، هيدي أنا
جنوني هوّي الفَن وفَني جنون.
أنا وحدي ببَلّشْ
مَطرح ما بيخلَصو باقي الناسْ.

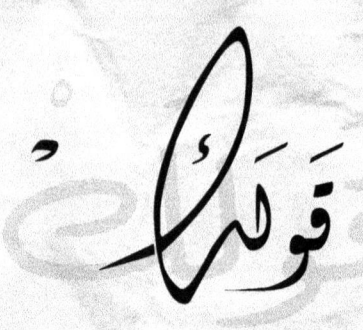

قولك

قَولَكْ رح نِلتِقي بعد طول غْيابْ؟
قَولَكْ رح ترجع هَاك الإيام؟
مِش عارفي إذا رح أعْرْفَك
من بين كلّ هَالناس الماشْيِة.
الدِني تغيّرت وشْكال الناس تبدّلت،
يمكِن تكون سْوِدّيت مِن كِتر الكِذب
أو يمكِن تكون تحلّيْت مِن كِتر الفنج.

قَولَكْ لمّا شوفَك رَح إبتِسم؟
أو إعبُس لمّا تطّلّع فيي وانهزم.
قَولَكْ رح إركض إحضنَك بشفافي
وبوّس خدودك بعيوني؟
شو رجّعَك مِن هاك الزمان
وشو ذكّرك بالمكان؟
إنتْ صِرت من الوهم الماضي
المِنسي عَ تلال بْعاد.

قَولَكْ بعد كل هَالفْراق
بتِلتِقي لِجْبال؟
وبتنزل عن علياها التلال
تَتلاقي نقطة ندي؟
قَولَكْ إذا قلتِلي رجِعتْ حبَّك،
رح صدّق إنو التلجات
صاروا نبيد معتّق
ناطِر ينشَرب بليلة برْد وهوا؟

ما الهَوى فارقني مِن وقت ما
فارقني خْيالك،
وإنطفوا كل مَجرّات الأرض.
راجع تضَوّي عَقلبي الوَجع؟
مَطرح ما كِنت رجاع
عَ كهف الغَفى العتيق
نام ولا تِصحى بَقى.
إنتْ صِرت من الماضي
وأنا البُكرا الجاي أكيد.

شو رجّعَك؟
مِش عارف إنو اللي إنكَسر
حلّق من جديد عَ طراف المدى
وترابَك ما عاد ينفع
إنت طينتك مجبولي بالوحل
و طينتي أنا،
من طينِة أميرات السَما.

هربان

تخمين هربان منّي
وراح تركض ورا خيالات الدني،
ومش عارف إنو الدني خيالات
و وَهْم وحلم ضايعْ.
هربان تَما تشوف عيوني
المشتاقة، الضايعة
التاركة كل ألحاني
وسطور وكلمات غْناني
وراكضة وراكْ،
وإنتَ راكض صوب وَهْمْ ووَجَع.
مشتاقة لعينيك تطّلع فيّي،
أنا حقيقة مش وَهْم.

بيني وبينك

بَيني وبَينَكْ صار في حْقُول شَوكْ
لا بينْمَشى فيها ولا بتِنقَصّ
لا فيّي قرِّب، ولا فيّي فِلّ.
بعَتِلَّكْ مرسال مع طير السَّما
بَركي عَ جْناحو بترجَعْ.

شتَقتِلَّكْ قد ما في بالصَحرا رَملْ
شتَقتِلَّكْ بعدَد حَبّات القَمحْ بسَهل البقاع
شتَقتِلَّكْ قد الشتي اللي بينْزل بلبنان.

دَمعتي سقيت حقول الشَوكْ
وطير السَما رجع خجلان.
بَيني وبَينَكْ صار في حْقُول شَوكْ
والشَوكْ عَم يكتَر أكترْ مِن شَوقي إلَكْ.

الهوا

وإنتْ ومارق مِن صَوب المَدى
ميّل صَوبي ولِنّوْ شي مرّه،
حِلو الوَفا يِتْبادل بِالوَفا.
يا هوا صَرلي سنين بِكتبْلكْ
كتبْلي شي مرّه قِصة هَوى،
ميّل عَ قلب الدَفا وخْطِفلي لَهفِه
دَفّي فِيا عروق الجَفى.
سنين وأنا بغنّيلَك يا هوا،
يا ريح، هِبّي عَ شي شِبّاك
هِبّي عَ شي باب ناطِر يِنعَجنْ فيه
الهَوا بِالهَوى.

بَابُ قلبي

عَ بَاب قَلبي مَا كِنتْ تدِّقْ
وعَ بَاب بَيتي وَاقِف مِسْتْحي
تخمين خَايف تِسمَع دَقّات القلب
وأنا مستحيِّي إفتح بابي.

دَخْلَكْ، دَخْلَكْ العمر، شو؟
غَير لَمسه و لَهفه وشْوَيِة حَنان.
خَجِلْتي وخَجِلتك تاركِتنا
عَ نفس الباب واقفين،
إنتْ من برّا وأنا من جوّا،
مِدري شو بَعد ناطرين.

تَعى إسرقني
ما عَاد لَ النّطره في إلها لزوم،
ولا تقلّي السِرقه حَرامْ
كِسّر هَالبَاب،
كسّر هَالصّمتْ و تَعى إسرقني
ولِكْ سِرقتي أنا صَارِت حَلالْ.

خَرْبَشَات

عَم خَربِش حَالي مِتِل شي وَلد زغيرْ
بَركي بلاقي هَالطِفْل اللي ضَاع من سنين
عَ وْراق بَيضا إرجع إكتبْ من جديد.
وَينَك تاركني عَ حَفّة المَوج
لا عَ الرَمل، ولاَ بنص البحر لقيتَك،
وسنين أنا خَربِش وْراقْ
وسنين هَلوْراقْ تضيع .
إيدَيّي تعبوا، حَاجي بَقى خَربَشه
بدّي صورتَك تنْرسم بِالحِبْر النَقي
حَاجي بَقى خَربَشه ووَلدَنه،
ما كِبر الوَلدْ والشَيبْ عبّى الدِني.
العِمر بيمرق بْلَيله، بلَحظة غَفى
خَلَص خود مِنّي هَالرَسماتْ
ما بَدّي بَقى خربَشه.

مُشَكَّها

رِميتْ مَشلَحْها عَ صخور النِسيان
مَشلَحْها الوَردي وكلْ ألوان الأيام
وصَفير صَوتو جَايي مِن بعيد
ورا بْحُور عطشانة لَميتها،
لْريحة عِطرها، لَلَمْسةْ شَعرها الطاير،
لَشفافْ دِبلت من سَقعْتَكْ.
رِميت مَشلَحْها الوَردي
دِفيت من شمسْ بُعدَكْ،
والبِعْدْ حُبّ أكتر من جَفى.

إرسمك

ورْجِعت إرْسمَك عَ وراقي
مِن بَعد ما خِلصو الحِبرات
بشو بِرسمَك؟
بالدَمع، بالوجَع، بالنَهدات؟
الحِبر هَجر وراقي
والألوان ضاعِت من قبالي
ولوحاتي صارت قماش فاضي.
وتا إرسمَك بالدمّات
لأ، كتير هَيك...
ورْجِعت إرسُم
بس الأكيد،
إنتْ مش بالرَّسمات.

ليلٌ وطويل

وليْل وطَويل ومِدري ليش
وصوت يهدُر من بعيد
هيدا صَوت الهَوا المارق
بين الشَجر بليلِة صَقيع؟
أو صَوت حجار بالمَقلَع البعيد؟
نجوم مخبّايِه مِتل شي طِفل زغير
خايف من العَتمِه وقاعِد بعيد.
والصَوت عم يهدُر من جديد
شلال طاف بفَصْل الربيع؟
هودي مِش ريح و حجار ومَي
هيدا قلب إنكسر وصوتو أقوى
من حجار الدني كِلا.
ليْل وطَويل...
وصوت عمْ يهدُر.

بردات قلبي

تَعي دفّي بَردات قَلبي،
بيكفّي برّا بَردْ وصَقيع
تَعي غطّي جفوني بدَفى حَنانكْ
تإنسى إنو الشِتي رِجع.

دفّيني بلَمسة جنونَكْ
ما دام الدِني تاركِة جنونا يِسرَح،
تَعي نِسرح سوا
ونِنْسى إنو التَلجْ رح يغَطّي أحلامنا.
بَردات كانون بنِتْحَمل
بس بَردات قَلبي جليدْ ما بينْحَمل.

تَعي دفّيني،
تَ بْناري دَوّب كل تلجات جبال البكي
وتِرجع أحلامي تطير صَوب المَدى
ووزّع دَفى عَ قدّ ما دفيّتني
بنارك اللي ما بتِنطفي.

طلاعٌ منّي بقى

طْلاع مِنّي بقَى
حاجي عايش فيي
تركْني لاقي عيون
تعبّي فَراغ عيوني
طْلاع مِنّي بقَى،
عْروقي مِلْيانه بدمّاتَكْ
إسمَك معَلّق فيي،
وحُبَّك وَشْم عَ جِلدي ما بيِنمحي.
طْلاع مِنّي بقَى ما عاد فيي.
بين الناس عَم فتّش على عيون
بَس مِتل عيونَك لا،
صدّقني ما بِيلتقى.

الليلْ

واللّيلْ زارني، قَلّلّي ليش الغَفى مفارقِك؟
قِلتِلّو، مدري مضيِّع عِنواني
مِدري ناسي جفوني،
مِدري حابِب يتركني تايْها بهَالدني.
يا ليل الغَفى زورني بقى
بيكفي وجَع قلبْ وقَسى
يا ليلْ السّهرْ تركني بحَالي
مِشتاقة ضمّ النّوم عَ داري
بَدّي النّوم يغَطيني،
بشي ليلةْ حلم يغَطيني
تإدفى،
ويرجَع بكرا القَلق يلاقيني.

وجوه

في وجوه لمّا يطِلّ المَسا
بيغمرا الحزن والأسى
ووجوه بياكلا الضَجَرْ
وبِصير النوم يِركُض وراهُنْ عَالهدى
ووجوه بلا لون ولا وفى،
بتِسوَّدْ أكتر من سَواد المَسا.

تعى تمَسّى بوجّي،
ساعِتها، لا بيِخلَص الليل
ولا القمَر بيترُك السَما.
تعى تمَسّى بوجّي،
بعَينَي ، بصَوتي، بِ بَسمتي
وتروك المَسا يِمرُق، ويِمرُق...
تَيرجَع تاني مَسا.

عَ هَواك

عَ هَواك عِيش وما تِسأل
إن كان قَلبي بِهواك تعَذّب
إن كانوا عيوني عَم تِسهَرْ
وإن كانوا إيدِي من البَرد عَم تِسقَع.
عَ هَواك عِيش هَيك أريَح
والأريَح إن كان وِجّك
ما بَقى إلمحو،
بِ هَواك ما بَقى رح إتعَذب
لأنك عَالهوى مَنك معوّد.
هواك بِ حبال الهوا معَلّق
وأنا ما بحِب إتعلّق
لا بهوا، لا بريح، لا بنور
ولا حتى بنَسيم
عَ هَواك عيش وما تِسأل
والأكيد،
أنا مِش واردة إسأل.

فتِّش

فَتِّش بين وْراقك
بِيمكِن تلاقيني
مخبّايِه بَين السطور
أو بِيمكِن كون بين الحروف.
بَس وْراقك فاضيه
ما فيا ولا كلمه.
بتعرفْ، سرقتُن أنا تإمْحي
شو بِقيلَك من الماضي
تَ إكتبَك بْصَبيعي من جديد.
خلّيتا ورْقا بيضا
تَ إرسم اللي
ما عْرِفْتْ ترسمو إنتْ.
فَتِّش عَ حَالَك
بين عيوني،
عيوني أنا
حامِلي كلّ حروف الدّني.

حيطان الملل

طالع عَ بالي إكسُر حِيطان هَالمَلَل
إحرُق دفاتر اللي مَضى
سَكِّر شبابيك الهوا
وشَرِّع بوابي لِلبُكرا،
اللي ما بَعرف
إن كان في مِنّو أصلاً نوا.
إن كان جايي التغيير
أو باقية مِتل ما أنا بِالتعتير.
طالع عَ بالي كَسِّر،
لأ،
بدّي كَسّر وكَسّر
كِل حِيطان هَالضَجَر.

حكي

وشو نَفْع الحَكي
لمّا الحَكي إنخَطَف
ضاع ونِسي يرجَع،
وحكايات تِنحَكى
عَ سطور النِسيان.

شو بَعْد بينْقال
لمّا العيونِ تِحكي
ورموش مْكحّلي تومي.
شو نَفْع الحَكي
لمّا بوجْعات هَالليل سرقتْني
وعإيديك شْلَحْتني.

شو نَفْع الحَكي
ما دامو حَكي طاير بِالهَوا
تركْني إحكي بِالوَما،
بِالوَما أجسادنا بتِفْهم عَ بَعضا
أكتَر مْن الحَكي.

تعبَ بها الليلُ

تَعي بْهَالليلْ عَ غفلي،
تَعي خْطِفني
تَعي، سْبقك الشِتي
وحبّات البَرَدْ لاحقتو.
تَعي سْروق الغَفْلي
قَبِل ما عَ غفْلي
تِنْطِفي نار قَلبي
وتْصقّع عروقي.
عَ غَفْلي إجا الليل
وطلّ القَمر
تَعي خْطفني
قَبل طلوع الشَمسْ،
النور يمكِن يِسرُق اللَهفي.

دِنيتي

دِنِيْتي ملوّني بألوان الأملْ
وإنتَ ما شايف غَير الرّمادي،
أنا مَع كل طلّةْ صِبحْ
بلوّن الغَيم بخِضْرْ عيوني
وإنتْ النُور عَندَك خوف وفَزَع.
شو جابَك عَ دِنِيْتي المفَرفَحا
جَايِي تنكِّد عليي تَ يهرُب الحِلمْ؟
باقيي إحلَم و إركُض ورا أحلامي
باقيي دِنِيْتي ملوَّني
ما دام الأمل موجود بهَالدِني.

شبّاك

- نادين نجم -

خَلَصْ، إنكَسَر القزازْ
وشِبّاكي تخلّعتْ خَشباتو
تخَلَّع، والهوا آخدني مَعو
مِش عارفي،
إن كِنتْ أنا بإيدَيِ كَسّرتو
أوَ هوّي جَنْ وضاق خِلقو.
خَلّع حَالو من ضَجَر المْبَارِح
حمل بإيدو خَشبِةْ ثوره
كسّر قزاز حَبسو
شَقّ حيطان ضِعفو
قلِلّو لِلهوا،
تَعى طيّرني صَوب الفَوق
ما بدّي كون بَقى شِبّاك.

في طَير بِالسّما جناحو كبير،
بدّي قَرّب صوبو تَ سوا نْطير
ضاق خِلقو من بيت مْعَتَّم
مِن وَقت ما عَمّرو النِسيانْ.
خَلّع حَالو وخَلّعني مَعو،
مع الهَوا، مع الغيم،
مع زوبَعه وطوفان
حَمَلني وكسّر فيي الجَبَان.

فيك وبلاك

- نادين نجم -

فيكْ وبَلاك الشَمس عمْ تَشرُق
فيكْ وبَلاك موج البَحر باقي مَوجْ
ونَسمات الصِبح باقيه نَسمات.

هَونيكْ، ورا الجبال البَيضا
اللابسه فِستان العرس
في شجَر يِبس، مِش من جَفاك.
يِبسْ من الهوا الطّاير
المارق يكسِّر، يلوي
خَشبات هَالدني.
فيكْ وبَلاك العِمر عمْ يِمرُق
والقمَر ما فارْقا مَعو
إن كِنتْ هون أو هَونيك،
والرَبيع رح يرجَع كلّ سِني
حامل وردات تغَطي كل جِرح.

الدني مكفّايه شروق وغروب
وصَيف يفرِّد عَ كلّ شِباك
وشِتي يِترُك ميّاتو نهر ماشيْ.
كلّو ماشي والعِمر ماشي،
فيكْ وبَلاك رح ضلّ إمشي
لَتخلص الحكايه.

جنونك

جنُونَكْ مِتل جنونْ هَالبَحر،
موج وعاصفِه تخَبِّط بِهَالسفينه،
لا عارف ترسي عَ برّ،
ولا عارف تسَافر لَتلاقيني.
ناطِرْ خَشبِة خلاص من غيمِه
ومِش عارف إنو خَلاصَك
عَ الشط واقف ناطِر صرلو مِدّه
حَاجي تجنّ،
قرِّب، المينا مِش بعيده.
غِرقان بمِلح بَحرَكْ
ومِن كِتر ما مَلَّحتو نَشَّف ريقو.

جِنّ جنون مِتل الخَلْق
جنون بِنْحَكى فيه،
إنتْ جنُونك فاتر، ما إلو لون.
تعلّم منّي كِيف الجنون
تعلّم تتَعرف العِشق كيف بيكون.
تَ تصير من أهل الهوى
لا تفكر، لا بعَقل، لا بمَنطِق،
لا بسَفينه ولا حتى بمِرساة.

جِنّ وتحَدّى المَوج
حَاجي البَحر مسيّرك صَرلو مدّه
جِن جنون الأرض الناطره نقطة شِتي،
هيك بتعرف عَ الشَط
شو ناطرك من عشق نَقي
أقوى من جنُون جنونَك

وأقوى من بحُورَكْ
اللي ما عِرفِت تلاقيلَك
ولا دَوا يشفيك،
غَير البِكي.

يا ريح وهَوا

يا ريح وهَوا
يا تَلج العالي،
دايرين تِجنّوا بهالدِّني
مِتل شَعْر هَاك الصَبيّة.
طاير بهوا البَحر
طاير يلِف خدودا
يخبّي دموعا.
شِتي أو دمُوع
ما بيهمّ.
ما الدِني جنِّت
والبَحر غَرَّق النوم،
غَرَّق جفُون
ناطرة يِرجَع عَ شي مَوجي.
بَس، يا خسارة طِلع سراب
راح الهوى، مات الحبّ
بليلة بَردْ كلّو انتهى.
ريح وهوا، وسَقْعة قلوبْ
والتلج وَحدو أبيض
بِسْواد هَالدني.

فايق ع البيت القديم؟

فَايِق عَالبيت القَديم مَطرَح ما كِنّا نِلتِقي؟
فَايِق لمّا كِنتْ إركض تحت الشتي تَ لاقيكْ ؟
فَايِق شو كِنتْ قاسي معي وجبان،
معذّبني وما عارف شو بدّك من هَالدني
مرقت إيام وليالي مِن دون نجوم
مِن دون نَسمه ولا حتّى بَسمه.

أنا محّيتَك مِن حالي، مِن قَلبي، مِن كياني،
شِلتَك من عروق دمي اللي نِشفِتْ،
مِحّيت صورتَك من عيوني اللي ما شافت النوم
ونسيت كيف كانت مَشيتَك،
نسيتْ نبرة صوتَك
وما عِدت إذكُر حتّى قَسوْتَك.

صدفه شِفتَك فكرتَكْ خْيال حالَك
تاري الخْيالات ما عَندا خْيال
وأنا كِلّ هَالسنين مفكّرتَك رجّال.

فَايِق عَالبيت القديم؟
مارْقا من هَونيك شِفتو صار رمادْ
حجار فَوق حجار، هَدموا البَيت القَديم
صَار تراب مِتل ضَميرَك.

راح البيتْ راح كلّ شي
وإنت رِحت ما عَاد في
لا ذِكرى، لا صورة ولا حتّى حَنين،
حتى الأنين راحْ مَعو.

صَفحَة طويتها وحْرَقْتْ لِكْتاب
وما بقى غَير إمحي من راسي
وَجَعْ كِل هَاك السنين.

فنجان قهوتك

عَ طاولِة وكِرسي مَطرَحَكْ
كلّ يوم صِبحيِّة لوَحدَكْ،
ريحة قَهوة عَمْ تنغْلي
وأنا النار فيي، أكتَر من غَلي.
رَكوة وفِنجان قدّامَكْ
وأنا مِن دَهر مقابيلَك.
فِنجان زغير بين إيديك عَم بتدَلْعو
ومِحتار مِن وين بَدك تِمسكو،
وتِبرم وتِبرم بهالفِنجان.
مِش شايف غير هَالشَّفِي
وأنا شِفتي مِشتاقا لشَفِه.
يا ريتني فِنجان قَهوتَك
تَ إقعُد مَعَكْ عَالصبحية
لكِنتْ شربت شِفّتَك مع الشَفِه
وكل شَفِه تِنشَرَب دوق شفافَكْ،
وتدوب طَعمِة القَهوة عَ شفافنا
عِشق ولَهفِه، والشفه تندَه
ما شبعتْ، زيدولي شَفِه.

رمشة عين

وِ الزّعَلْ غَافي بين رموشَكْ
فتّح عيونَك تَ يوعى الزّعَل ويطيرْ
خلّي طاير، وتركني
إسكن أنا بين رموشَك،
تَ تحلى عيونَك حلى من دِنية العيدْ.

كحّل نَظرا تك بورْدات قَلبي
وكبّ حالك عَ باب الليلْ،
مطرحْ ما يسكرْ النَعَس
ونام القنديل.

تركْلي زعلَك وغْمرني بعيونَكْ
عيونَكْ بتحلى من نَظرةْ عيوني،
وخلّي رموشنا تحاكي بعضا
غَزل العُمرْ الباقي
اللي ما بينحكى الاّ بهمسْ،
ورمشة عينْ.

تركِتني

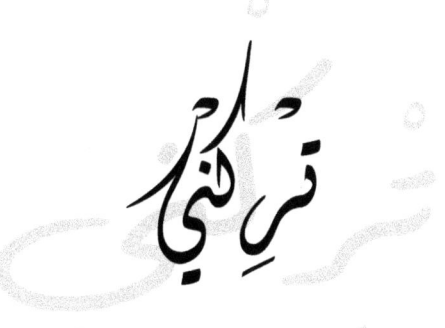

تْركْني لَتْملمْ حالي
بَعدْ ما حالي مَعك إنكَسَرْ،
تْركْني لَتْملمْ شو باقي
بَعدْ ما أكلني الحزن والضجرْ،
تْركْني أوصل عَ حالي
اللي ضَيّعتو من دَهْر،
كرمالك نْسيت حالي
وإنتْ،
مش سائل عَ قلبي اللي إنفطر.

قلّها تعي

- فورة ألم - ٨١

قلّها تعي عإيديّ
تَ نِتشيطَن شَيطِنة الزغارْ،
قالتلو إيديك سَفر بعيد
شيطِنتو أبعد من لُوْلادْ.
قلّها تعي بَقى
قبِل ما يِنْشَف العِشق الهِربان
قالِتلو لوين هِربان؟
ما أنا الشيطنة
وعَ شيطنتي راكض وولهانْ.
قلّها خَلص بقى وَلدَنة،
حَرقتيني والنار والغمّ جهنّم فيي
وأنا راح لَيكي رِضيان،
ومِشْ فارْقة مَعي
غير إنك تكوني مَعي
تَ الشيطنة يصير إلا عِنوان.

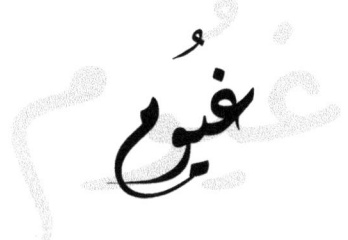

غيوم

بكّير صْحيتْ عَ هوا مِسْقِع
لَفَحْ قلبي وخلاني إلتفتْ،
صَوب السَّما لِ مْخَرْبَشَه
بغَيمات ضايعه مكَفْشَله
رايحا تفَتّش عَ نور
يِحكي عَن وجعا الساكِت
اللي عبيّتو بِغيوم وصَقيع.
قاعد بِبِردات قَلبك وماحي الدّفا
ومفَكّر إذا غَطّيت الشَّمس
الشَّمس بتِنْمَحى.
ولو بتَعرف إنو عيوني بتِفْهم مْن الوَما
وشايفِه إنو خَلف غيومَك
مخبَّى شَمس حِلوه قد المدى،
وصورة طِفل البراءه بعيونو بتِنحكى.
حاجبها عَن حالَك وعنّي،
ومِش عارف إنو نورَك
أقوى مِن مية غَيمي.

رَمْل البَحْرِ

رَمْل البَحرْ إشتَقلَك تِمرُق تحاكيِه
إشتاق للَمسات إيديك تفَتّجو
لمّا الموجات تكون بْعيدي.
صَرلك زمان ما زرتو،
مواعَد النَسمات بزيارا
والهيئة مواعيدَك
مِتل الطيور المهَاجْرا،
بتمْرُق مرّه بالسِني حدّ الغيوم
بتِطَلّع من فَوق بغْرور وكِبريا.
لا بتِتنازَل، لا بتِغط ، لا بتِسأل
والشَط بارِد وحزين.
إذا رمْلات البَحر إشتاقتلِك
كيف أنا؟

حاجي بقى

حاجي تكذُب عحالك
وتِتكبَّر عَ الدني.
إنت دايب بعيوني
وبخصري المَايل.
حاجي تِتكبَّر عَ لمْسِه من إيدي
وإنتْ لو فيك تِلمس جِسمي كلّو
ما كِنت بتوَقِف لَمْس.
حاجي كِذب ومنفقا
وإنتْ شفافي شايفُنْ مَشْنَقا
تِلِفّ عَ شفافَك لفّي قويّي
وما تعود تِفلِت
إلاّ وجِسْمْنا عمْ يحتِرِق سوا.

شَوَيَة نَوم

عَ بالي روح أقطُف شـوَية نَوم
جفوني صَارِتْ غصون
حاملي عْصَافير الأرض
لا بِتْنام ولا بترتاح.
عَ بالي غمِّض سنين
وتمرُق بْلَحظَة،
عَ بالي أعرِف طَعْم الغفى.
يا ريت النَوم بينْقطَف
مِتِل وَرد نيسَان،
خاطِف منِّي الراحَة
ويا ريت بعْرف لَيش.
عم بشحد من الليل،
شوَية نوم.

غَبْرَة

نَفِّض عنَّك غَبْرِةْ هالزَمن
وطلاع بقَى من هالصَومَعا
ناطِر يجو لعَندَك كِل الناس
ومِش حاسِس إنك مقَفَّل بوابَك
ومفاتيح قلبَك صَدِّت من الخَبي.
فَتفتْ غْرورك شي مَرّةْ
وشيل من إيدَك هَالكاس
طلاع من كبوة كِبريائَك،
حبّ حالك لِنّو شي نِتفي
تِتبقى تحِبَّك باقي الناسْ.

ما تعتذر لي

جايِي تعتِذِرلي إنَّك ضَيّعت
ساعةَ الزَمان،
لكَ روحي وما تِرجَعي
ما بدّي أعرف أنا وين.
بدّي الأيام تِحرق والسنين تِقطع
وما أعرف أنا بأيِ زمَن.
بيوقَف، بيمشي، بيرْكض، بيِتغَندَر
ما بيهِمْني.

روح، كِبّ الوقت بِالبَحر البْعيد
رمِيه بالعَتمي.
ليش مِستحي تِقْلّي ومخبَّى عنِّي
لِكْ ريّحتني من هَمّ الدِني.
لا صِبح يعَاتِبني ولا مَسا يوَجِّعني
جايِي تبْكيلي ضْحكتلَّك
جايِي تعتِذِرْلي فِرْحِتلَك.

آلِتِ الدّهْرْ ضاعت منَك فْراحْ اليَوم
بَرِكي بُكرا رْجِعْتِلَك
ومِتل عَادِتا عَذَّبتِك.
الضايع لا تْلاقيهْ،
أحسن ما بْرَجِعتو تِتعَس
وعَ حفافي الزمان نَطنِط
ولا تِقعد بيِسْبقك،
لا تعتِذِرلي
أنا فَرْحِتلَّك.

الحصاد

- ٩٦ - نادين نجم -

بِمْواسم الحْصاد
رايْحا لِمّ غْلال القَلبْ
ريحة أرض و دوالي شْقَرْ
كِلا حنينْ.
رايْحا إحصُد
قبل ما يسبقني القَدَرْ
قَبل ما ينساني القمر
قَبل ما يْخَتْيِر الغَيم
وِتَشتي عيوني عَفجْاَهْ.

بموسم البَرد
رايحا دَفّي إيدَيّ
بِجْليد الغابِة البْعيدي
جْليد الدِني كِلا
أدفى من قَلبَكْ.
بِموسم السِنديان الوالع
وَالنّار بكِل بيت
قلبي بِرِدْ من كِتْرة جَفاك.
بِموسم الزَرع زرعتك فَرَحْ
بِمواسم الحْصاد،
عم بِحْصُدَك مَلَلْ.

شو بتسوى الدِني

شو بتسوى الدني لولا الجْنونْ،
شو الدني غير خْوات
يمشي ورا رقصة حْروفْ
إيه! حروف عم ترقُص
هربانة من كتاب العتقْ،
وسْطور سكراني تغنّي
وقلم حبرو ميّة نهر
بينْشف مع كل طلّة شمس،
وخيّال تارك خيلو نعسان
وراكض هوّي يسبق المْكان.
شو بتسوى الدني
اللي نايمي ع مفْصل الكون،
شو الدني لولا جْنوني وجْنونك
نقلُب فين مسار الأرض
اللي تعبتْ من تكرار برْمة العُمر.
شو بتسوى غير اللحظة
التارْكي حالا تغرق،
ت ننْسى إنو الدني
منّا غير لمشة ترابْ
رح تغطّي عيونا بآخر النّهار.

مشتاقة

مِشتاقة لْكَمشة حرية
مِشتاقة إرجع حلِّق
عَ جوانح طيور
عَ مواسم وكرومْ
مِشتاقة لريحة عطِر الأرض
عَ ورد يِفَتِّح بنصْ الليل
مِشتاقة لْكَمشة ريح
لِشْوَية هوا مارِق ولو من بعيدْ.
وريحة بحر ومِلح وصيادي،
ورَمل أشقَر غافي.
مِشتاقة إركُضْ تحت الشتوات
شَتوات الصيف اللي بِتنَقّط شْوَيْ شْوَيْ،
إغسُل عيوني بهالكم نِقطة
وإنسى إنو عيوني عَطول دامْعا
مِشتاقة لْكَمشة أنا
أنا اللي ضاعت مِني الأنا
مِشتاقة لحالي إرجع عَ دْياري
مَطرح ما الحِلم دايماً واعي.
مِشتاقة تِحرق شمس زغيري
وإنسى إني صِرت هلقَدْ كبيري،
شو مِشتاقة لْكَمشة حرّيِة
وإرجع أنا متل ما كِنتْ برّية.

إنتَ

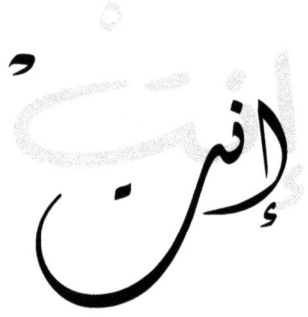

إنتْ مِش حَدا
ولا قادر تكون الحَدا
اللي عيوني ناطْرتو.
إنتَ الحدا اللي مضَيَّع إسمو
وراسِم عَ وِجّو صورةْ الهَمّ
ناطِر النِدي يِجي من صَخرةْ الغِياب،
من وادي النِسيان
من كومةْ تراب وغَبرةْ إيام.
إنتْ مِش حَدا،
إنتْ وناطِر عَ مَفْرَق الزمانْ ،
يطلّ الفَرج وإنتْ نايم بالأحلامْ.

تَ تِستاهل تكون الحَدا
تجرّأ بقى،
تمرّد عالدَهر اللي أكلَك
من كِترةْ خَجلكْ.
جَبانْ، إيه جَبان
ومْفكر حَالك بَطل
وكلّك عنفوانْ.
إنتْ مِش حَدا،
ولا قادر تكون شي مرّة حَدا.

عَ فُراقك

وِحياتك عَ فْراقك ما حدا بِكي
لا عيوني سِهرت
ولا قلبي شِكي،
وعَ شبّاكي مِش ناطرا
لا إنت تمرق ولا خيالك
والليل عَ رْموشي سِهران
سَهرِة عُمر ما بتنْتهي.
رموشي ساحرا سواد الليل
ومِشْ فارْقا مَعا،
إن كنتْ غايب يمّا حدّي.
عَ فْراقك نمتْ نومة طُفلْ
مطَمَّن بالو.
وِحياتك عَ فْراقك القمر
صار أحلى وحِليتْ شْفافي
مِن نور الهَنى.
عَ الفراق نِشفت دموعي
وصارت عِطر وعَنبَر
وعَ طلوع الفجر بلّش العِمر.

ما عاد في نوا

- نادين نجم -

ما عَاد في نَوا للرَّجعَة سوا
وشو الدَوا ؟
ما في دَوا
غير النِسيان
وحَرق الماضي عَ هيك بَلا.
مْبَلا، رح تِمرَضْ
وعَ حَفّة الجُنون
رَح تعيش ناطِر حَدا
تَتشفى من وجعة قَلبْ
كان بدَّك نِبقى سوا.
لا تفَتِش عَ طبيب ولا عَ دوا
ما في غيري أنا الدَوا.
بسْ هَيك ما جابِي عَبالي
لا إشفيك ولا كون الدَوا.
بتوجَع، بتِشفى، بتِدوق اللوعا
والقلب بينكوى،
مِش فارْقا مَعي داوي
اللي كان أصل البَلا،
يا هَيك بَدّي كون، يَمّا بَلا.
ما عاد في نوا للرَجعا سوا،
مَمْنونْتَك أنا، صار عندي جْنَاح
لَطير فوق بِشي سَما.

تَوبة

لو فيي توب عن حُبَّك
مِتل ما تابت المَجدليه
لكِنت اليوم حارسة باب الجَنه.
بسّ حُبَّك مْغَرّقْني بنار الرَغبي
وجنون يِهرب من توبة الدني،
ورع تِندّي عَ قلبي حروق
كيف بدّي توب
وحُبك عم يدوّبني دوب.
لو فيي إطلع من حالي
تِتطلَع منّي.
لا قادرا توب عن وَجَعْ قلبي
وما فيي بَعّدك عنّي.
باقيه مَجدليّه بلا توبه
باقيه حِبّك،
عَ قدّ سنين العمر اللي باقيِه.
ما دام عِشقك بعروقي عم يمشي
باقيه إصحى ونام وحِبَّك
ودَخلكْ، لَشو التوبِه؟

صرتِ اختيَاره

من دونك صِرت ختيارة
ماشيْ وحدي أنا وهالعكّاز
كلْ ما يزيد بُعدَك عنّي
تحفر جَعدِة جديدِة عَ جْبيني.
كلّ يوم يطول غيابك
شَعْرا بيضا براسي تكتر
وعروق عم تنشَف، شْوَيْ شْوَيْ.
كل شهر يمرُق عليي
يشحّ نظري ويتعبوا إيدي،
ضهري حني عَ نَطْرة الشبّاك
جسمي بلي عَلْ قَعْدي بلاك.
ختيارة صرت بْغَيْبْتَك
وأنا بعدني بأول العشرين.
شفافي، شفافي زمّت،
وإشتاقت لبوساتك اللي كلها حنين.

إرجعلي قبل ما إعمى،
إرجعلي قبل ما سَمعي يخِفّ.
الخَتيْرَة منّا بعدد السنين
الخَتيرة عَ قدْ الوقت الضايع
برزنامة إمّحت منها الإيام.

إرجعلي،
تَ بْلـحْظـ إرجع صبيّة ولو صرت بالتّمانين
إرجعلي تَ بآخر العِمر تصير إنت عِكّازي
وأنا صير عينيك.
ختيارة من دونك صرت
والقلب وحدو بعدو بأول العمر.

لو بيحكي الحجر

لو بيحْكي الحَجَر لو،
بس تَيحكي عن جَمالِك
إيام ما كنتِ إنتِ النجمِه
إيام ما كنتِ إنتِ تعطي.
أنا ما عرفتك من زمان
ولا شِفتك بهديك الأيام.

كانوا يقولو إنو السَّما فوقك
مثل الشمسيه تَتِحميكي
والبَحر بموجو يناجيكي
وبإيدك خاتم الأحلام
وعأرضك عاش حرّ الإنسان.

تحت فَيّة شجراتك العشاق إلتَقو
وصبايا بفساتين حُمرْ
من الأرجوان تلوّنوا
ورجال بيحِلفوا بِالحَقّ،
ما الحقّ من رَحْمِك خِلِقْ
بِمْدارس شرايع، قانون وعدل.

لو بيحْكي الحَجَر كان قال،
كم مرّة هَدَموكي
كم مرّة عزَّبوكي
كم مرّة باعوكي واشتَروكي
وقسّموا أرضك من كتْرة ما غاروا منّك
قسّموا شعبِك فكرُن هيك بينهوكي.
حوريّة البحر أخدت من جمالك
وطير الفينيق غرّد عَشِباكك
حلّق، طار، طار وعلّى
إحترق بالشمس ولَرماد تحوّل.

لو بيحْكي الحَجَر
كان قال وقال
إنو الرماد عَ مَرفَقِك داب بالدمّ
و خَلقِك من جديد.

إرجعي يا بيروت
إرجعي منارة البيوت
إرجعي الفينيق اللي ما بموت.
ولو بيحكي الحجر،
بس لو بيحكي.

تَعاسوا

تَعا نِهرَبْ سَوا
لَ مَطْرَحْ اللي ما في حَدا
تَعا نِركُض عَ مدى الأرض
ونِنسى كُلّ الوَجع
تَعا نلوّن الزمان
بمَطْرح اللي ما في مَكان،
مَطْرح ما الفراشات بَطّلتْ تطيرْ
خافتْ من حُبنا الطّاير
وقَعْدِتْ عَ جَنَبْ من بْكير.
تَعا نِسهَر والنهار بأولو
تَعا نقول لَلشمس إنطفي
عيبْ تِبقي، وحبيبي قَاعد حَدّي.
نوري ونورَك بيكفوا لَتْنوِّر الدروب
إنتْ وأنا مِش فارقا مَعنا المَصير
ما دام الفراشات نامتْ،
والشَمس إنطَفتْ والزَمن وِقف.
تَعا نِبقى سوا،
لوَقْتْ ما تِندهنا السَما.

سيره ذاتيه

نادين نجم. كاتبه، معدّة ومقدمة برامج على التلفزيون وممكن تكون مشروع شاعرة من لبنان.

ولدت بِ بيروت بإيام الحرب، حاصله على ماستر بالعلوم الموسيقيه من جامعة الروح القدس- الكسليك وتخصّصت باللغه والثقافه الإيطاليه بالمعهد الثقافي الإيطالي ببيروت ومن جامعة سيينا وسان سيفيرينو بإيطاليا. علّمت الموسيقى واللغه الإيطاليه لمدة عشرة سنين بعدّة مدارس ومعاهد. شاركت بأعمال مسرحيه وأوبراليه بلبنان والدول العربيه. بعدها تفرّغت للترجمه خاصه لترجمة مجموعه من قصص الأطفال و مقالات ودراسات عن جبران خليل جبران.